献给尤兰达，我的超级灵感之源。

图书在版编目（CIP）数据

超级小红帽 / (智) 克劳迪娅·达维拉著绘；梅静
译. -- 北京：中信出版社, 2019.8
书名原文: Super Red Riding Hood
ISBN 978-7-5217-0069-5

Ⅰ.①超… Ⅱ.①克…②梅… Ⅲ.①儿童故事 – 图
画故事 – 智利 – 现代 Ⅳ.①I784.85

中国版本图书馆 CIP 数据核字 (2019) 第 025840 号

超级小红帽

著 绘 者：〔智〕克劳迪娅·达维拉
译　者：梅静
出版发行：中信出版集团股份有限公司
　　　　　（北京市朝阳区惠新东街甲4号富盛大厦2座　邮编 100029）
承 印 者：北京尚唐印刷包装有限公司

开　本：787mm×1092mm　1/16　　印　张：2　　字　数：35千字
版　次：2019年8月第1版　　印　次：2019年8月第1次印刷
京权图字：01-2015-7855　　广告经营许可证：京朝工商广字第8087号
书　号：ISBN 978-7-5217-0069-5
定　价：25.00元

出　品　中信儿童书店

图书策划　如果童书
策划编辑　宿欣
责任编辑　安虹　陈晓丹
营销编辑　张远　　　　　　　　版权所有·侵权必究
封面设计　姜婷　佟坤　　　　　　如有印刷、装订问题，本公司负责调换。
内文排版　北京沐雨轩文化传媒　　投稿邮箱：author@citicpub.com

超级小红帽

［智］克劳迪娅·达维拉 著／绘

梅静 译

中信出版集团｜北京

就在离这儿不远的一座小森林附近，住着一个名叫露比的女孩。露比最喜欢红色。她喜欢树莓，喜欢红雨靴，尤其喜欢外婆给她做的红斗篷。每次穿上那件红斗篷，她就会变成——

超级小红帽！

一个阳光明媚的下午，露比在房间里玩儿
超级英雄的游戏，突然听见妈妈在楼下喊她。
"露比!"

"有什么要紧事吗，妈妈?"她也大声问道。
"当然!"
"看来，超级小红帽要去完成一项重要的任
务啦!"露比欢呼道。

她披上红斗篷，抓起手电筒。超级英
雄必须做好一切准备！

"你已经在屋里待了一整天了，"妈妈说，"干吗不去摘点儿树莓当点心呢?"

这听起来压根儿不是什么重要任务，但露比看得出，妈妈可没开玩笑。

露比亲了亲妈妈，拎着午餐盒，踏上了通往树莓丛的小路。

"森林幽深又黑暗，充满危险，"露比自言自语道，"但**超级小红帽**从不害怕!"

露比勇敢地大步往前走……突然，

啊，不！

她那双大大的红雨靴差点儿踩到路中央的一只小蜗牛。

"对一只小蜗牛来说，这个地方太危险了，"她说，"幸好有**超级小红帽**来拯救你！"

她小心翼翼地把小蜗牛送到安全的地方。

"做完了一件好事!"她说。

露比蹦蹦跳跳地朝森林走去,边走边唱:"谁害怕又深又暗的森林,深幽幽的森林,黑黢黢的森林?谁害怕又深又暗的森林?不不不,我才不怕!"

走到森林边时，她停下脚步，朝里面张望。一股寒气从模糊的暗影里飘了出来。

"超级英雄必须像猫儿一样安静，小心提防一切危险。"露比嘀咕着，蹑手蹑脚地走进森林里。

森林里到处都是奇怪的声音，好在露
比带了手电筒。

咕！ 咕！

咔嚓！

"猫头鹰！小树枝！啄木鸟！"她一边大声说，一边朝着声音传来的不同方向照过去。

笃！笃！
笃！笃！
笃！笃！
笃！笃！

"谁害怕又深又暗的森林，深幽幽的森林，黑黢黢的森林？谁害怕又深又暗的森林？不不不，我才不怕！"她边走边唱。

很快，她便来到一片洒满阳光的树莓丛前。她赶紧跑过去，装了满满一盒子鲜美多汁的红树莓。

"任务圆满完成！"她得意地说。

正准备扣上午餐盒，露比突然听见一个陌生的声音。这是一种巨大的、隆隆作响的、可怕的咆哮声！

嗷呜呜呜呜

露比吓得缩成一团，牙齿也开始打战。

超级英雄必须勇敢，她对自己说："我可不怕……"

大灰狼!!

他张着锋利的爪子，露出黄色的獠牙，扑向了露比，毛茸茸的大尾巴在身后摆来摆去，真是可怕极了！

　　大灰狼越来越近。啊，实在是太近了，露比的脸上都能感觉到它那湿漉漉的呼气了!

　　"对……对……对不起，请让我过去。"露比的声音很小，小得连自己都觉得难为情了。

　　可是，大灰狼一动不动。

他咧嘴一笑，声音沙哑地咆哮道："你一个人跑到这座又深又暗的森林里干什么？"

露比眯起眼睛，盯着这头毛茸茸的野兽。

"你问这个干什么？"

"啊！呃……我只是好奇而已。或许，你能告诉我……"

哎呀!

摔倒

没等她回答，大灰狼就扑了上来。

超级小红帽立刻像兔子一样跳开了，用她的超
能力左躲右闪，把狡猾的大灰狼耍得团团转。

她爬上一棵橡树，停在一根大灰狼刚好够不着
的树枝上，这才坐下来喘了口气。大灰狼一边抱怨，
一边鬼鬼祟祟地绕着大树转圈儿。

露比再也受不了了。"大灰狼,"她冲树下喊道,
"快让我过去!"

大灰狼仍然一动不动。

"大灰狼,我数到五,你最好立刻乖乖地离
我远点儿!"

大灰狼还是没有动。

"一……"

露比坚定地数了起来,

"二……"

大灰狼看出露比是认真的。"好吧,好吧!我让你过去。"

露比开始往树下爬。可是……

咕 噜 噜 噜 噜

"大灰狼?!"

"是……是我的肚子在叫，"

大灰狼呻吟道，"我真的饿坏了！"

"哎呀，你怎么不早说?"

露比纵身跳下树，身后的红斗篷像降落伞一样飘了起来。

"你要是想吃点儿我的点心，直接跟我要就是了!"她说。

大灰狼流着口水露出一个大大的微笑。"嗯，能给我吃一点儿吗?"他边问边伸出一只爪子。

露比抱紧了自己的午餐盒，不让大灰狼碰到。"别着急，大灰狼! 你刚才真是把我吓坏了，那么大的獠牙，那么锋利的爪子，还冲着我大吼大叫……"

大灰狼耷拉着耳朵，盯着地面。
"对不起。"他说。
露比深深地看了一眼既难过又饥饿的大灰狼。

"啊……没关系。"她终于说。
大灰狼立刻抬起头，非常礼貌地问：
"请你给我吃点儿，可以吗?"

超级英雄永远都会帮助需要帮助的人。于是，超级小红帽像所有的超级英雄一样，打开午餐盒，和大灰狼分享了鲜美多汁的树莓。

露比和大灰狼在大橡树下开心地吃着树莓。露比说：
"我从来不知道，大灰狼也喜欢树莓。"

"啊，没错。"大灰狼快活地说，"我们最爱
吃树莓了!"

大灰狼边嚼树莓，边想了一会儿。

"我从来不知道，小女孩儿也能
成为超级英雄。"他说。

"啊，没错，"露比露出一个大大的微笑，"我们当然能！"